Moineau 2003

Le dernier des romantiques de Honfleur

Poèmes

L'amour pour raison et horizon

Nouvelle édition
Vingt-sept textes nouveaux
plus des poèmes en anglais aux pages 10, 19, 21, 51, 58, 61, 68, 74...

Sur trois notes, poèmes en vers libres et maximes,
en français et en anglais
Illustrés par les œuvres des grands maîtres de Honfleur

Rétrospective des œuvres des artistes parues pour la première fois
entre 1967 et 1999 dans les œuvres du poète

De 1949 à l'an 2003

Présentation et mise en page de Micheline Brainin, la muse de l'auteur

Traductions J. Pilon

A propos de Moineau

Dans le nouveau siècle, c'est une injustice et un miracle qu'un poète aux cheveux neige, à l'âge de la paix, académicien, vive ainsi pour servir son idéal, "la musique des mots". Rempli d'humilité, avec un amour infini et un immense courage, il diffuse et déclame comme Villon et Verlaine ses poèmes d'amour, de paix et de lumière dans les auberges, alors que des centaines de chaînes de télévision diffusent devant des millions d'êtres, la violence et la grossièreté. Il faut le respecter et le remercier de protéger nos esprits, nos émotions au prix d'une joie et d'un dévouement que les êtres qui n'ont pas perdu leur conscience peuvent voir. Sa mission est de lumière ! En notre temps qui entendra, qui ouvrira son cœur et son âme à ces nouveaux poètes si rares en ce XXIe siècle, qui protègera les rêves de poètes, tel Moineau ?

(la Presse Québécoise février 2002)

En France : Presse Provinciale et Nationale. Condensé de 280 articles (tournée 2001)

(Extrait du Figaro Magazine, Bertrand de Saint-Vincent, 1996)

"Sans émerveillement, dit Moineau, le monde n'est qu'à moitié vivant".

Si vous voulez aider Moineau dans sa mission de messager, vous pouvez lui faire un don en commandant ses œuvres pour vos amis et leur donner le contact pour acquérir ses poèmes d'amour romantique.

"Je vis de la certitude de l'incertitude"

Je dédie cet ouvrage avec tout mon amour du plus profond de mon cœur à mon épouse et muse Micheline ainsi qu'à notre fils Michel et nos petites-filles et à tous les êtres faits d'amour et d'amitié ou en voie de le devenir.

Dédicace toute spéciale à notre ami Bleuet.

Je remercie chaleureusement les artistes pour leur participation à la réalisation de cet ouvrage : Gilbert Belin (Maire de Brassac-les-Mines durant plus de quarante ans, le village d'origine de la famille de Raymond Peynet), Carzou (dédicace privée), Dries, Edmond Ernest-Kosmowski, Michel Girard, Hambourg, Fernand Herbo, Camille Hilaire, Jean Le Guennec, René Lernon, Mick Micheyl, Jack Mutel, Raymond Peynet, Charles Pollaci, de Saint-Delis, ainsi que le Bar des Artistes, rue des Logettes à Honfleur, la galerie Apesteguy à Deauville, la galerie Arthur Boudin à Honfleur, la galerie Motte à Honfleur, la galerie Van Gogh à Trouville, le musée Peynet à Brassac-les-Mines et Madame Kosmowski.

Dépôt légal pour le monde entier à la SACEM et à la SCDA - 3ᵉ trimestre 2002

Cet ouvrage a été imprimé sur papier couché spécialement réservé à l'auteur

Pour tout contact avec l'auteur ou pour toute commande, adresser votre courrier à : BP 72 - 14800 Deauville

Il y a beaucoup d'auteurs à notre époque qui se sont adaptés à la violence et à la vulgarité pour l'argent. Moineau a refusé tout compromis, il reste fidèle à la beauté et il en paie le prix par son combat.

Portrait réalisé par un
peintre russe anonyme

*"Il ne reste plus
qu'un seul chemin
pour les poètes,
celui de venir à vous !"*

*"Celui qui abaisse
l'autre pour s'élever
est bien petit"*

*"Il est plus
beau de venir
aux autres
que d'attendre
qu'ils viennent
à vous !"*

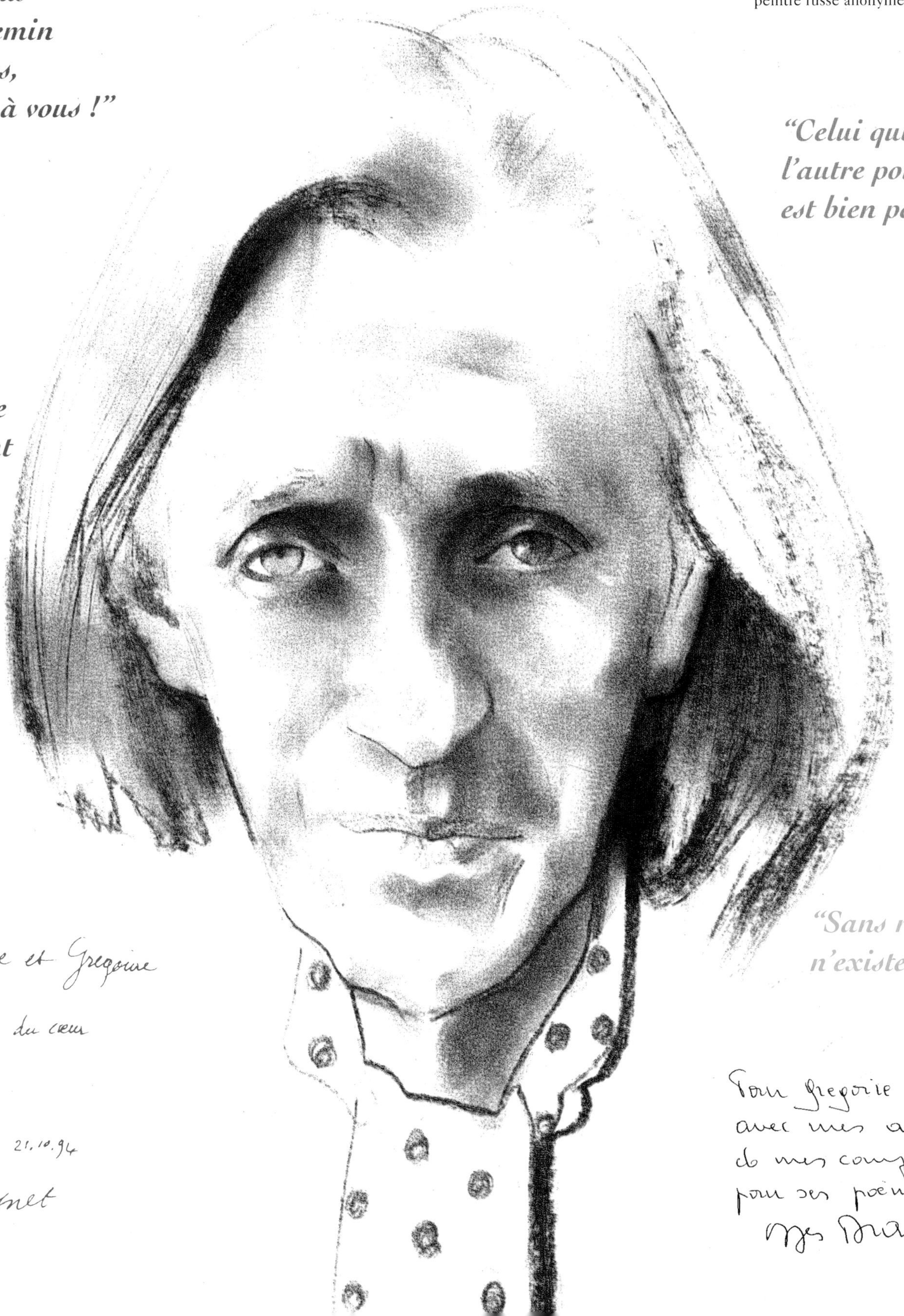

*"Sans rêve le monde
n'existe pas"*

A Micheline et Gregoire
les amoureux du cœur
21.10.94
Peynet

Pour Gregoire Brainin
avec mes amitiés
et mes compliments
pour ses poèmes
Georges Brassens

"Le poète doit mettre sa plume au service des autres, dans la modestie
de ses possibilités, et être la lumière d'une humble chandelle ou d'un phare,
sur les seuls chemins qui lui restent, ceux qui mènent à vous".

L'action humaine de Moineau

1953 - Moineau donne une série de conférences à 19 ans à la Salle des Ingénieurs civils de Paris sur la valeur de la spiritualité dans la science.

1956 - Il fait avec son épouse Micheline le tour de France en auto-stop pour prêcher l'entente et la paix en écrivant aux présidents russe et américain.

1959 - Dans la presse il émet l'idée d'un pipe-line d'eau dans le désert afin d'acclimater les régions désertiques. Ce qu'Israël fera plus tard ainsi que d'autres pays du Golfe Persique.

1960 - Il crée avec son épouse le premier grand concours d'auteurs-compositeurs à l'Olympia avec l'aide de Bruno Coquatrix.

1963 - A l'époque des films du style "Les Tricheurs" il réalise le contraire : le film inspiré par les Amoureux de Peynet.

1967 - Il fonde le premier journal gratuit au monde n'annonçant que de bonnes nouvelles. Il réalise avec Micheline le film "Celui qui vient de nulle part" pour la sauvegarde de la nature en montagne et obtient le Prix de Bronze remis par le guide Frison-Roche.

1969 - Il invente les défilés de mode en comédie musicale.

1974 - Il organise le premier festival littéraire multi-idées en présence de Michel de Saint-Pierre, Armand Salacrou et Jean Effel, créant l'amitié entre hommes aux idées opposées.

1975 - Il publie chez Stock une autobiographie "Moineau" prêchant la tolérance, l'espoir et le courage et le lance avec un orchestre rock dans une tournée à travers toute la France afin de lier la jeunesse et le savoir. Il reçoit les félicitations des journaux La Croix, L'Humanité, Le Figaro.

1976-1977 - Il crée les "Veillées Honfleuraises", tremplin pour la jeunesse. Il lance de jeunes étoiles de qualité dans les domaines de la chanson, du théâtre, de la musique, de la peinture et des ballets. 25 ans après la tradition continue au Grenier à Sel de Honfleur.

1977 - Il écrit à l'Ayatollah et participe spirituellement à la libération d'une partie des otages.
Il recherche avec son épouse les légendes orales du Pays de Normandie auprès des anciens afin de sauvegarder la mémoire. Il raconte ces légendes chaque matin à 7 h 30 sur Radio Normandie puis dans un ouvrage co-édité par le Cercle d'Or et FR3. Succès auprès de la jeunesse.
Il loue une maison où durant quatre ans avec Micheline ils hébergent des artistes peintres, chanteurs, comédiens qui trouvent un refuge avant de démarrer, même un peintre handicapé gravement que Micheline sauve, jusqu'à son rétablissement, son mariage et le début de sa carrière. Décoré de la Chevalerie pour cela.

1984 - Alors que le monde de la télévision est rempli de dessins animés violents, il produit onze demi-heures d'animations et marionnettes pour enfants, programmées en série poésie et rêve sur FR3 Nationale et au Canada.

1985 - Il crée avec son épouse Micheline, avec la participation de FR3 Caen le premier arbre de Noël des jouets anciens récupérés pour les petits enfants. 3 000 jouets sont ainsi distribués en une semaine. L'idée est reprise pour la suite par toutes les télévisions et mairies de France depuis 15 ans.

1987 - Il introduit aux Nations Unies l'idée d'un fonds mondial d'aide à l'enfance par un impôt de solidarité (à travers un projet de film écrit par Lui et Micheline "Reviens Petit Prince").

1989 - Il fait le tour du monde en tant que chargé de mission du gouvernement du Québec pour promouvoir ce projet de film auprès de la France, du Niger et du Brésil.

1990 - Il invente au Canada à travers les collèges le premier journal au monde fait par des enfants.

1991 - Il publie un livre de philosophie "Lettre Ouverte aux Gens du Futur", thèse sur la relativité pour la paix dans le cœur humain.

1992 - Il envoie aux groupes de presse l'idée d'un journal réalisé et vendu par les sans-abri (ce qui deviendra une réalité plus tard).

1993 - Il demande aux députés de supprimer les affiches des minitels roses sur les murs des villes (pour protéger les enfants).

1994 - Il monte plusieurs spectacles au profit d'œuvres caritatives.
Lors du lancement de l'Armada de la Liberté qu'il inaugure au Théâtre des Arts de Rouen avec le poème "La prière à la mer", il lance l'idée d'une Charte de la Mer.

1995 - Il défend la poésie dans le monde et reçoit appuis et félicitations de nombreuses ambassades (Belgique, Angleterre, USA…).
Il réunit des responsables Serbes et Croates pour la paix.
Il réunit 1 600 signatures adressées aux Prix Nobel en faveur de la paix en Yougoslavie.

1996 - Il reçoit des félicitations, plusieurs prix et diverses médailles de France, de Russie et des USA une lettre du Président américain.

1997 - Il lance l'idée d'une charte de la non-violence pour les enfants, de créer une collégiale qui contrôle tout produit destiné à l'enfance, tel est le projet !

1998-1999 - Il fait avec Micheline une tournée à travers la France dans les auberges, les théâtres, les festivals. Avec 540 récitals de poésie et conférences pour la non-violence dans les films d'enfants en matinée et soirée, ils continuent jusqu'à l'épuisement cette mission soutenus par leur fidèle éditeur Le Brun de janvier 1998 à août 1999.

1999 - Il reçoit pour cette idée l'appui du directeur de l'UNESCO.

2000 - La fête de la paix près des plages du débarquement en hommage aux sacrifices.

"Malgré tous les honneurs, les poètes sont les oubliés de ce début de siècle et le monde en a besoin !"

"J'aime mieux les petits chemins pour venir à vous afin de servir l'Amour
que les grands qui épousent la violence"

En 1951, à 17 ans, Moineau obtient le prix de la nouvelle de jeunesse suite à une parution dans la revue "Benjamin" de Jean Nohain.

En 1953 avec son ami Keller, Moineau est nominé dans "Fiction" par Maslowsky et Bergier comme "parmi les meilleurs auteurs de science-fiction de langue française" dont le premier volume fut préfacé par Henry Bordeaux de l'Académie Française.

Organisateur du Grand Prix de la Chanson amateur en 1960 à l'Olympia après une grande tournée en Normandie.

En 1962 Moineau reçoit le soutien officiel de Sa Majesté La Begum pour son premier film.

Sélectionné au Festival International du Cinéma de la Jeunesse de Cannes en 1963 pour son film "Si tous les amoureux du monde".

Médaille d'Argent du Film de Montagne en 1967.

Le 29 août 1972 Moineau reçoit les félicitations de M. Edmond Keiser de "Terre des Hommes".

1975 - Le livre "Moineau" chez Stock reçoit une presse nationale unanime et est sélectionné par l'Office Chrétien du Livre dans "La Croix".

En 1976 à Honfleur, Moineau reçoit les encouragements du Prince du Danemark pour ses poèmes.

En 1977, Moineau reçoit les encouragements du Prince du Luxembourg en visite à Honfleur pour ses poèmes.

Le 12 janvier 1979 Moineau reçoit les félicitations du Président de la République française M. Valéry Giscard d'Estaing et Madame.

Le 21 février 1980 Moineau reçoit les félicitations de Michel d'Ornano, ministre de l'environnement et du cadre de vie.

Le 24 janvier 1983, il reçoit l'intérêt total de Mac Millan Educational Company USA.

Nominé aux Félix 1985 au Canada.

Le 14 février 1987 il reçoit l'appui moral de Jean Drapeau, maire de Montréal et haute personnalité de l'Unesco au sujet du projet de film "Reviens petit prince" sur un scénario de Grégoire et Micheline toujours dans l'espérance d'être un jour produit.

Le 8 juin 1987 il reçoit le soutien moral de M. Alain Goury, ministre des communications du gouvernement canadien.

Le 26 mars 1990 Moineau reçoit une lettre admirative de Muriel Couture du Ministère des Affaires Internationales du Québec au sujet du projet du film "Reviens petit prince".

Co-fondateur du Festival du Cinéma Russe de Saint-Raphaël et de Honfleur de 1992 à 1999.

Prix de l'Académie des Lettres de Normandie en 1992. Le 30 mai, Prix Poésie, diplôme d'honneur.

Prix de la Jeunesse en 1992 pour son projet de film à Saint-Raphaël.

De 1993 à 1999 pour les Festivals du Film de Honfleur et Saint-Raphaël, Moineau reçoit le soutien de Marcel Carné, François Chalais, Edwige Feuillère, Annie Girardot, Jacques Dorffman et Jacques Deray.

20 février 1993, Moineau est nommé à la dignité de Chevalier et Honorable par la Commanderie des Châteaux de Val de Loire.

Le 28 mai 1994, Moineau reçoit le Prix de l'Académie Lucie Delarue-Mardrus.

En 1994, Moineau reçoit la Médaille d'Or du Conseil Général de l'Eure.

Il donne le départ de l'Armada de la mer dans l'estuaire devant 300 000 spectateurs en 1994.

Le 17 décembre 1995, Moineau est médaillé des Arts et Lettres par la communauté artistique russe de Paris.

7 août 1996 - Moineau reçoit les félicitations personnelles du président des USA Bill Clinton.

Il inaugure le pont de Normandie par une ode filmée et vue par 1 milliard de téléspectateurs sur A2 et A5 satellite en 1996.

1997 - Micheline et Moineau sont invités d'honneur au Forum du Festival de Cannes et sont reçus comme "les amoureux du film".

Prix de l'Enfance 1998 du Comité Français de l'Audiovisuel.

1998 - Co-récipiendaire de la médaille de l'Unesco pour le Festival du Film de Honfleur.
Moineau et son épouse Micheline entrent pour la postérité au musée "Peynet" de Brassac-les-Mines en Auvergne et reçoivent les félicitations du député-maire Gilbert Belin pour leur film inspiré par "les amoureux".

Il présente les Mains d'Or de l'Audiovisuel à Paris en 1998.

En 1999, lors du 25e anniversaire du Festival du Cinéma Américain de Deauville, Moineau a eu l'honneur de signer ce présent livre à Pascal Morabito, Kirk Douglas, Cyd Charrisse, Maurice Jarre, Robin Williams ainsi qu'aux grands metteurs en scène américains.

En 1999 il reçoit un diplôme pour sa contribution au rayonnement du 7e Art pour sa précieuse participation à l'hommage rendu à Marcello Mastroianni lors des 14es rencontres cinématographiques de Vichy.

22 août 1999 - Moineau reçoit les félicitations pour son livre de poèmes de Sa Majesté la Reine Mère d'Angleterre par l'intermédiaire de sa première dame Lady Jennifer Gordon.

En 2000, Micheline et Moineau publient les contes du "Petit Chat Zigotto et des Lapins Invisibles".

Organisateur des Fêtes de l'an 2000 en Normandie à Bricquebec non loin des plages du débarquement et, sur une idée de Micheline, construction de la Pyramide de la Liberté à Bricquebec contenant 2 000 objets ayant appartenu aux soldats du Débarquement.

Projet de l'Editeur de présenter l'œuvre de Moineau au Prix Nobel (sous réserve).

Deux poèmes de Moineau sont envoyés dans l'espace dans le satellite Keo pour cinq mille ans (200 poèmes sont choisis par l'Unesco sur 20 000 proposés dans le monde).

Il écrit l'"Opéra pour l'an 2004" des 400 ans de la découverte du Québec par Samuel Champlain.

Bibliographie de Moineau de 1951 à 1998 : 27 nouvelles, 14 romans, 1 feuilleton TV, 2 biographies, 11 livres de poèmes, 7 scénarios, 2 bandes dessinées sans violence pour enfants, 2 livres de contes.
Il a publié au Québec et en France son autobiographie en deux volumes chez Stock - *Moineau* - 1975 - France et chez Logiques Groupe Québecor *Le Semeur d'Etoiles* - 2001 - Canada, distribué en France par Casteilla.

Edité chez Stock, Hachette, Del Duca, Stanké, Cercle d'Or, Le Brun, Namamm, Corlet, Logiques Groupe Québecor.

Tendresse
Micheline

QUI EST MOINEAU ?

"Sans émerveillement, dit Moineau, le monde n'est qu'à moitié vivant".
(Extrait du Journal Littéraire, septembre 1998)

Ne vous trompez pas sur la démarche de Moineau. C'est un grand parmi les grands. Si à 68 ans passés comme Verlaine en son temps il vend ses poèmes, c'est pour transmettre son message d'amour et préserver son panache en renonçant à la trahison actuelle de l'esprit en payant le prix fort par son courage, mais le temps sera son architecte. Son talent est confirmé par une quantité d'êtres exceptionnels parmi lesquels Brassens et Madame Edwige Feuillère.

Son œuvre restera dans la mémoire comme le feu ardent de son amour et le respect de l'humanité qu'il porte en lui.

Prix d'honneur de "l'Académie des Lettres de Normandie" fondée par Victor Hugo.

Ami de Cora Vaucaire, Mouloudji, Simone Langlois, Jacqueline Boyer, Grimaud, Disney.

Il fait des tournées avec Marcel Mouloudji, John William, Georges Brassens qui aiment ses poèmes et le lui écrivent ainsi que Madame Edwige Feuillère et Jean Marais fidèles à son talent.

Toute sa vie, au prix même de sa vie actuelle, des chansons célèbres sillonnent son existence.

Il joue au théâtre Sarah Bernhardt à Paris à l'Ambigu et au Café du théâtre des Arts de Montréal.

Tourne et réalise le film *"Si tous les amoureux du monde"* inspiré par les personnages de Peynet.

Il crée pour les enfants une série T.V. sans violence sur FR3 : *"Hello Moineau"* en 1985.

FR3 Normandie, sous le couvert de Monsieur Dauchez, dit de Moineau : *"il est rentré dans la légende d'Honfleur tout comme Alphonse Allais ou Erik Satie".*

A Honfleur, la place du Bistrot du Port porte une plaque bleue dédiée à son nom et celui de sa Muse Micheline.

Messieurs Lionel Jospin et Jacques Chirac lui rendent hommage dans des lettres dont voici un extrait : *"Vous avez bien voulu appeler mon attention avec la sensibilité toute particulière qui est la vôtre".* 25 mai 2002, Jacques Chirac.

"Vos poèmes et l'inspiration créatrice qui les suscite illustrent l'alliance établie depuis toujours entre l'évangile et l'écrit. Le Pape demande au Seigneur de venir vous combler de ses bénédictions". Le Vatican le 20 juillet 2000.

"Pour vos poèmes magnifiques illustrés, Madame Hillary apprécie et les trouve merveilleux". Bill CLINTON, le 7 août 1996, La Maison Blanche.

"Le but que vous vous êtes fixé devrait être cité en exemple à tous nos jeunes" Murielle COUTURE Ministre des Affaires internationales du Québec.

Lionel JOSPIN le 17 octobre 2001 : *"Le destin exemplaire qui est le vôtre est aussi une leçon d'histoire pour les jeunes générations, auxquelles vous transmettez avec talent la mémoire d'une époque révolue"*.

Moineau sur une idée de Micheline bâtit une pyramide à Bricquebec, deux mètres de haut et, en profondeur faite de sable d'Omaha Beach et de ciment, contenant 2 000 objets (pour l'an 2000) ayant appartenu aux soldats du débarquement pour la mémoire de la liberté.

Il lutte depuis 10 ans pour une CHARTE DE NON VIOLENCE dans les films et jeux pour enfants, soutenu par l'UNESCO et le Parlement Européen, qui est en voie d'être présentée au Sénat.

Organise le Festival du Cinéma Russe à Honfleur depuis 8 ans, fin novembre, fait de beauté et de qualité - films et concerts avec des parrains et des marraines fantastiques : Marcel Carné, Edwige Feuillère, Robert Hossein, Annie Girardot, François Chalais.

"Ma tâche, dit-il, *ne sera jamais finie, d'autres la continueront"*.
Protège la beauté et l'amour dans le cœur des autres.

Le Musée PEYNET de Brassac-les-Mines en Auvergne lui consacre une place ainsi qu'à sa muse Micheline pour son film inspiré par les amoureux.

Parmi les livres d'amour que nous avons édités, celui de Monsieur Moineau est un des plus grands. Il contient 40 œuvres inédites des plus grands impressionnistes de Honfleur du siècle passé et sa valeur, un jour, sera certainement inestimable et recherchée. Il devrait figurer parmi les best-sellers, mais ce début de siècle oublie l'art et la qualité pour la rentabilité immédiate.

Moineau est le dernier des troubadours de France. Il mérite pleinement l'intérêt des amateurs d'art et de poésie véritable.

(Les éditions Le Brun 2000)

Grégoire Brainin dit Moineau et Henri Keller pourraient se placer au premier rang des auteurs de science-fiction française. (article de 1953).

(Igor Bergier et Maslowsky)

Moineau fut choisi pour inaugurer par un poème le Pont de Normandie qui figure au livre de la mémoire.

Deux poèmes de lui furent envoyés dans l'espace dans le satellite KEO et il est le poète qui écrivit le poème "Mon ami le cheval" pour le programme du gala des courses de Deauville 2002.

Bien plus important que toutes les actions culturelles, Moineau a constaté qu'en 20 ans de démarches auprès des institutions officielles gouvernementales et internationales, celles-ci viennent enfin d'être relayées par les voies de portes mondiales ou internationales.

- Le discours de notre Président pour la taxe internationale au Congrès Mondial, afin de lutter contre la grande pauvreté, cela fait 20 ans que Moineau propose ce projet aux pays du monde et environ un an à notre Président. Il est bouleversé et heureux qu'après lui avoir répondu, il ait décidé de la défendre lui-même.

Tout aussi sérieux, son projet d'interdiction de la pornographie et de la violence à la T.V. pour enfant, qu'il défend auprès du Gouvernement et du Parlement Européen et qui est enfin présenté au Sénat par Madame la députée Christine Boutin, soutenu par le Pape et l'UNESCO qui ont écrit à Moineau.

La persévérance, le courage à travers le temps, a permis à un simple citoyen de faire passer des idées d'une grande envergure mondiale. - *"quand les gouttes d'eau bougent, l'océan se remue"* dit le poète.

"Moineau a débuté quand il y avait un silence total sur ces sujets. Aujourd'hui les grands sont à son écoute". (la Presse Québécoise, Ouest-France, Marie-Claire, l'Yonne républicaine) Extraits de divers articles à ce sujet.

"Il est loin le temps où Jean-Marc Tenberg et Moineau disaient leurs poèmes à l'Olympia, quand les grandes dames de la chanson leur demandaient des textes et que des centaines de cabarets les recevaient avec amour et reconnaissance.

De nos jours, il n'y a plus de cabarets. Le disque est devenu une industrie lourde où la rentabilité exigée est impitoyable. Les tournées sont de véritables usines en déplacement où la poésie n'a plus sa place sous la menace d'une efficacité exigée par l'immense investissement que cela représente.

Le poète de nos jours est seul avec son amour des autres".
Mécénat facultatif 30 euros, moins et plus.

B.P. 72 - 14800 DEAUVILLE pour Moineau BRAININ et son éditeur Le Brun

Extraits de Presse du Québec et Ouest-France, Pays de France, Figaro, Libération, Pays d'Auge, Journal Littéraire.

La prière du mari

A Micheline, mon épouse chérie. Noël 1971

Je t'en prie, ô mon Dieu !
Fasse que mon épouse
Croie le cœur
Que tu m'as donné !
Pour souffrir et aimer.
Je t'en prie, ô mon Dieu !
Fasse que la mère de notre enfant
Soit notre joie, jamais nos larmes.
Que son corps et le mien
Ne soient selon Ta volonté qu'un !
Que chaque seconde de la vie
Qui m'est comptée
Lui appartienne.
Que je puisse reposer mon front
Brûlant de fièvre
Dans la douceur de ses mains.
Que les épines du chemin
Je les reçoive
Et non elle !
Que son fidèle amour
Reflète le mien.

Que dans notre demeure
Jamais la haine ne s'installe.
Que prévenir ses désirs
Cela doit dessoiffer les miens.
Que je sache lui parler
Comme je l'écoute.
Que viellissant côte à côte,
Regardant le chemin parcouru,
Nous n'ayons plus de regrets
Mais un seul désir,
Celui d'une éternité qui elle
Seule peut réunir
Pour toujours deux êtres
Qui s'aimaient.

"Tout s'éteint un jour
et il ne reste
que la lumière
de l'Amour"

Le rire d'un enfant

Rien n'est plus beau que
Les cascades des rires d'un
   enfant
Plus beau que le vol
   d'un oiseau blanc
Plus beau que le soleil levant
Sa naissance, elle
Est plus belle que l'univers
Et le temps.

Mon enfant

Tu es elle
Tu es moi
Tu es toi
Et à toi seul
Tu es nous trois.

My son

You are her
You are me
You are you
And to yourself
You are the three of us.

*"Le savoir de la sagesse est
aussi éloigné que les plus
lointains des univers et aussi
proche que notre cœur !"*

Ne faut-il pas être comme de petits enfants pour rentrer au royaume des cieux.

Nous sommes fiers d'avoir fait partie de la génération qui a vu les premiers hommes marcher sur la lune en direct.

Un tel événement ne peut être autre chose que la confirmation de la qualité de l'homme devant la science et l'esprit. Cela donne une immense espérance face à toutes les négations qui défilent dans l'histoire de l'humanité. Cela permet de réagir avec foi dans l'humanité devant le futur au service de l'Homme et du Divin.

Et quand je pense que j'ai connu tout petit Méliès et plus tard son fils, que j'ai rencontré l'un des astronautes d'APOLLO, que le satellite KEO a emporté deux de nos poèmes dans l'espace pour des millénaires, que j'ai écrit avec mon ami Henri Keller au début des années 50 des romans d'anticipation prédisant la date du premier voyage dans l'espace, Collection Cosmos, dirigée par le petit-neveu de Jules Verne, le Docteur de la Fuÿ.

Alors je me suis dit que notre destin fut extraordinaire et un signe de foi pour le futur des nôtres et tous ceux à qui on a transmis notre espoir.

Gardons la simplicité de nos regards envers la vie devant l'immensité de l'Univers.

Tu es la lumière
de ma vie
Tu es la chanson
de mes rêves
Tu es le chemin
de la poésie
Tu es mes jours
et mes nuits
Tu es le matin
qui se lève
Tu es la bise qui
souffle dans
mes cheveux
neige
Tu es le rire
et la joie,
mon devenir
et ma foi
Redevenu enfant
tout
recommence
comme
avant,
Avec toi.

Nos petites filles

Les plus beaux cadeaux
  de notre existence
La chair de nos chairs
De la chère espérance
Douce enfance chérie
Aux doux prénoms de nos vies
Nous serons toujours
  votre mémoire
Tant que vous vivrez
  nous vivrons
Rires et larmes d'amour
Aux mille richesses
Inaccessibles autrement
  que par l'esprit
Infinie présence de vos êtres
Qui nous font frémir
  des peut-être,
De l'avenir
Comme l'âtre du brasier
  consommé
Des flammes de la vie renaît
Doux cris de jeux
  et folles vacances

Fragilité et forces
  de nos existences
Certitude implorée
Dans l'éblouissement
De l'heure de la prière
De vos jeunes beautés
Espiègles et altières
Nature, comme
  dans les contes de Ségur
Où les enfants en grandissant
Epousent des princes
  charmants.

*"L'Amour est un cadeau que
l'on reçoit jeune et que l'on met
toute sa vie à ouvrir"*

Si je ne suis plus là

Qui te dira des mots
   de tendresse,
Des mots d'ivresse ?
Si je ne suis plus là !
Qui te sertira comme un bijou,
T'aimera comme un fou
   de la reine ?
Si je ne suis plus là !
Qui te portera à travers l'océan
Comme un navire géant
Qui traverse le temps ?
Si je ne suis plus là !
Qui te racontera
   des contes de fées
Pour endormir tes peines ?
Si je ne suis plus là !
Qui combattra tes ennemis ?
Te protégera dans la vie ?
Si je ne suis plus là !
Qui séchera
   tes larmes de cristal,
Recueillera tes rires,
Adoucira tes soupirs ?

Si je ne suis plus là !
Qui guidera ton chemin
Vers tes rêves d'aujourd'hui
Et tes songes de demain ?
Si je ne suis plus là !
Qui te prendra dans ses bras
Pour te couvrir de baisers volés
Et de larmes de joie ?
Si je ne suis plus là !
Qui bâtira l'été en hiver
   pour toi,
Transformera les ruisseaux
   en rivières,
Pour que navigue ta foi ?
Si je ne suis plus là !
Qui portera tes espoirs,
Au-delà du désespoir ?
Qui moissonnera le blé
Dans les déserts pour toi ?
Si je ne suis plus là !
Qui traversera les millénaires
A la vitesse de la lumière
Pour te prendre dans ses bras ?

Si je ne suis plus là !
Qui te donnera tout le sang
De son corps pour que tu vives,
Encore, encore ?
Si je ne suis plus là !
Qui pliera genou à terre
Pour que tu puisses marcher fière ?
Si je ne suis plus là !
Qui donnera toutes ses forces
Et toute sa vie
Pour que la tienne
Soit plus belle et réussie ?
Si je ne suis plus là !
Mais, tu vois,
Si tu n'es plus là,
Mon amour, mon âme s'éteint
Et meurt après toi,
Pour revivre à jamais en toi
Et n'être qu'un
Encore une fois.

*"L'on ne peut vaincre le désespoir
qu'en donnant l'espoir à ceux que
l'on aime, les autres"*

*"C'est si beau l'Amour
que je ne vois pas
d'autres raisons
ni d'autres horizons"*

J'aime les gens heureux

J'aime les gens heureux
Ils sont comme des manèges
Comme des arpèges ;
La joie dans leur yeux
Qui se remplissent de
Leurs larmes ruisseaux
Qui courent au creux
Des lèvres église,
Au goût de leur enfance réglisse.
Aux saveurs des matins d'espoir
De ce miel du soir,
Où les lendemains chantent enfin
L'espoir,
Heureux de moins
   qu'ils ne possèdent
Ils s'émerveillent de ce qu'ils ont
Tel l'enfant devant l'horizon.

La fidélité

C'est croire à l'autre
Plus qu'à soi-même,
C'est peut-être la lumière
Qui ne s'éteint pas,
C'est puiser ses forces
Dans des je t'aime
Que le temps n'affaiblit pas !
C'est lire comme dans un livre
Dans les yeux ouverts,
C'est les fermer sans douter
C'est savoir dire à l'autre
Je vous aime à jamais.

L'amour

L'amour est un navire
Qui traverse l'océan
Il est aussi un soupir,
Qui s'envole dans le vent.
Mais le vent pousse les navires
Et la force d'arriver
Vient des soupirs.

Graffiti
"A partir du moment où l'on
écrit les mots Amour et
Liberté que ce soit sur des
murs ou partout ailleurs, on
ne les écrira jamais assez"

I like happy people

I like happy people
They are like merry-go-rounds,
Like arpeggios;
Joy in their eyes
Which fill with
Rivers of tears
Which run in the hollow
Of church lips
Tasting of liquorice childhood.
Zests of hopeful mornings,
This honey of the night,

Where morrows finally sing
Of hope,
Happy with less than they own
They marvel at what they have
Like a child in front of the horizon.

*"La neige dans les cheveux
est la cime de l'Amour"*

De la mère
à son enfant

Il n'y a pas assez d'étoiles
    dans le ciel,
Pour te dire combien je t'aime.
Pas assez de chemins,
Pour me mener à toi.
Pas assez de Noëls,
Dans mon existence entière,
Pour t'offrir mon amour
    et ma foi.

Mon enfant,
    mon univers présent,
Pour l'éternité
    de mes espérances,
L'unique cadeau de ma chance,
Toi, à qui j'ai donné
    le souffle de la vie,
Tu m'as donné la clarté infinie.

En toi, je vois le soleil
    de mes nuits,
Au lever de mes jours,
Ton sourire remplit mes matins
De ta belle aube naissante,
Aux couleurs de tes yeux
    pureté.

Tes yeux qui regardent
Au fond de mon cœur,
Le miroir d'une tendresse infinie
D'une mère pour son enfant
Sans absence, sans oubli.

D'un amour qui grandit avec lui
Jusqu'à la fin de ma vie,
Même lorsque
    tu ne grandiras plus
Que dans mon esprit
Mon grand, mon tout petit.

Une vie

Si j'avais une vie
Rien qu'une pour toi
Et plus une autre pour moi
En échange
Je te la donnerais, mon amour
Pour que tu vives.
Si les branches des oliviers
Portent les fruits de l'existence
Et les roses le parfum de l'amour
Toi, tu as de la chance
Tu portes en toi leurs semences.

"Les artistes sont des anges
qui portent les soucis des
autres pour les soulager par
des doux rêves et des joies"

A life

If I had a life
Only one for you
And no other for myself
In exchange
I would give it to you, my love
So that you could live.
If branches of olive trees
Bear fruits of existence
And roses the fragrance of love
You, you are the lucky one
You carry their seeds within yourself.

Poème dédié à Madame Nicole Ameline parce
qu'elle prend bien soin des autres

Si l'on se mettait à s'aimer

Si l'on se mettait à s'aimer
S'aimer sans se faire d'illusions
Aux arbres morts pousserait la vie
Aux terres arides naîtrait le fruit,
Si l'on se mettait à s'aimer
S'aimer pour oublier les larmes ;
Si l'on se mettait à s'aimer
S'aimer pour oublier la haine
Comme s'aiment les enfants
En ouvrant les bras à n'importe qui !
Si l'on se mettait à s'aimer
Comme l'on moissonne les champs ;
Qui s'en meurent l'hiver
Et renaissent au printemps
Comme les anges
   aux proues des navires
Qu'aux départs on a fait bénir.
Si l'on se mettait à s'aimer
S'aimer sans se faire d'illusions
Aux arbres morts pousserait la vie
Aux terres arides naîtrait le fruit,
Si l'on se mettait à s'aimer
Afin que renaisse l'amour !

"Toute chose peut être faite avec
passion et Amour et c'est cela qui
changera le monde"

"Les gens sont faits pour s'aimer
et non pour se haïr"

A ma Muse Micheline

Le temps de l'amour

(47 ans d'amour)

La clarté de tes yeux étoiles
De ton minois d'hier
Et ton visage lumière d'aujourd'hui
Semblent issus de la même
   Sainte image,
De l'épouse, de la mère,
   de ma douceur de vie.
Pas à pas, nous avons
   acquis ensemble,
La clarté de nos cœurs
Je t'ai cherchée
   dans les longs chemins de ma vie,
Tu es là, en moi, pour l'infini.
Tes rires, joies, tes larmes d'enfant,
Ont fait de toi
   mon éternel printemps
Je lis les pages de tes regards,
Questions, bonheur, savoir,
Ma main frôlant ton âme,
La tienne, mes cheveux blancs.
Soudain devant l'éternité,
Nous avons dix-huit ans
Lisant le même livre de vie.
Ivre de bonheur, mon Dieu
   pour l'infini.
J'embarque sur ton étoile de paix
Laisse voir monter les voiles
Plus haut, encore plus haut
Je ne veux plus redescendre
Donne-moi la barre, un moment
C'est si beau là-haut.

Le pardon

Pardonner jusqu'à l'extrême,
Verser ses larmes
A la place de ceux
Que l'on aime,
Mettre un genou à terre
Oubliant ses blessures
Pour aider l'autre à se relever,
C'est dire des "je t'aime"
A ceux qui ne peuvent plus
Les prononcer,
C'est laisser son cœur battre
Les yeux fermés sur le passé.
Comprendre
Ce manque d'amour
Aveuglé de haine,
Le plongeant dans l'obscurité
Très loin, très loin,
Aller chercher l'enfant oublié

Au fond de lui-même
Afin de tout sauver.
Alors seulement
Jaillissant de lumière
L'âme apaisée de joies
Peut naître, l'amour
Et la paix à la fois.
En sauvant l'autre
On a sauvé
Soi-même.

"A mes ennemis pour qu'ils deviennent mes amis"

"Nous avons vécu au bord des falaises, dans les tempêtes et les vents, grâce à l'Amour nous sommes toujours vivants"

24

A notre ami Georges Brassens en souvenir de nos débuts
au "Quai Mirabeau" à la "Jar" en 1949

A Jean-Pierre Rosnay

Georges

Tu faisais rêver les rimes folles

Dans le style Lewis Carol

Sur tes larmes d'enfant

Que personne n'a jamais vues,

Lisant entre les lignes

Sur des notes malignes,

Mariant amour avec amitié,

Tu embarquais tes amis, tes proches

Naviguant sans anicroches,

Sur l'océan de la poésie.

Il y a longtemps que tu oublias ton gorille

Pour le petit cheval blanc,

Tous derrière et lui devant.

Le mot humain avait pour toi

Plus de valeur

Que tous les honneurs et leurs dévidents.

Dieu rimait pour toi avec complicité ;

Tu es parti comme tu as vécu,

D'une façon pudique,

Renonçant à la fortune et aux Amériques,

Pour que vogue sur les soirs d'hiver

De l'auvergnat, la galère.

"Il y a beaucoup
de demain !
Il n'y a qu'un seul
aujourd'hui"

Le chat

Ton regard tendresse
Besoin de caresses
Ton dialogue si proche du mien
Toi qui le comprends mieux
Que je ne comprends le tien
Toi qui pour des petits riens
Donne toute ta foi
Ta confiance absolue, ton amour
   et ta joie
Toi qui ferais le tour
De la terre
Irais même en enfer
Pour retrouver tes proches
Viderais de son cœur
Toutes les poches
Toi qui peux souffrir
Sans reproches
Toi qui sais dire merci
Dans ta caboche
Tu aimes tes petits
Du don de la mère
Que les humains
Des fois amers

Ne possèdent pas toujours
Toi qui n'existes que de fidélité
Et d'émoi
Ce n'est pas l'homme
C'est toi
Qui peut vivre
Que d'amour et de lait frais
Tu vois
Bien plus longtemps
Que moi.

A nos frères animaux
L'amour en détresse

Je vais prendre l'écrit pour eux,
Leur donner la parole,
Afin de dire le supplice
D'un être abandonné
Au coin d'une rue solitaire
Sans chance de retour
   au bonheur égaré
Son petit cœur pleure
Et personne ne vient le consoler.
Sur le chemin qui se meurt
En une fin atroce sans été

A Follette, Papou, Founette, Dicky et Jocko

Il garde encore de l'amour
    pour vous,
Posant une lichette
Sur la main d'un inconnu,
Pardonnant tout dans sa tête
Comme vous ne l'avez
    jamais fait,
Ecartelé dans sa tendresse,
Sa frimousse pose des questions
Cherchant réponse à sa détresse
N'ayant que son âme
    pour l'exprimer ;
Il demande juste une caresse
Et une part de pain
Pour continuer son chemin
En quête de l'amour à trouver.

Notre chien

Tu es partie un soir
Où les larmes de la pluie
Que l'on voyait sur la nuit
Semblaient jaillies
    de nous-mêmes
Mais ceux qui s'aiment
Ne se quittent jamais ;
Ta joie, ta douceur fidélité,
Ta gourmandise enfance,
Faisaient un arc-en-ciel
Les mots sont simples,
Mais ton amour resplendit,
Tu réanimeras toujours,
L'âtre du feu fragile
De la fidélité
Que l'on nomme
La foi en l'humanité.

*"Tu ne peux pas trouver
l'Amour tant que tu ne t'es pas
trouvé toi-même"*

A mon ami le cheval

Enfant de lumière
à la longue crinière,
Compagnon
des pionniers d'hier,
Sur les routes d'Amérique
et de liberté
Fils de la nuit, dans les
labyrinthes sous terre,
Toi devant et eux derrière
Frère du courage, sur les
champs de feu et de rage
Sacrifié aux guerres d'hier,
Et aux bouchers d'aujourd'hui
Coursier aux sabots d'or,
Qui ne poursuit pas
les mêmes trésors,
Pour qui la victoire
veut seulement dire amitié
Ami fidèle du cavalier,
Combien de fois n'as-tu tourné
dans un manège, un cirque,
une parade,
Sans croire à cette mascarade,

Parce que tu le fais seulement
par amour pour un ami
Dans ton cœur dans tes rêves,
Tu galopes libre comme le vent
dans la prairie,
Ou tu tournes sans cesse
dans les manèges d'enfants,
A la poursuite d'une vérité
infinie.

*"C'est en tombant
que l'on apprend
à se relever et à s'élever"*

Paru dans le programme
du Gala des Courses
de Deauville en 2002.

Sur un nuage

Les voyageurs au long cours
Partent des fois au-delà des nuages
Dans un voyage sans fin
Comme des oiseaux sauvages.
Moi... moi... qui les ai suivis
Je connais les noms des tempêtes,
Les soleils rouges... les lieux de pluies,
Les orages... et la paix sur les crêtes.
Je n'avais pour bagage
Comme eux
Qu'une liberté folle ;
On est si bien là-haut
Que l'on n'a plus besoin de paroles !!!
Les yeux parlent ! les lèvres se taisent !
En bas les hommes fous
Conduisent leur manège ;
Ils se battent pour des oripeaux,
Nous laissant les cimes et les neiges.
Je vous demande, hommes trop sages
De retrouver votre cœur d'enfant
Et vos ailes d'oie sauvage.

*"Il doit exister des mondes
d'une telle beauté, de grâce
et d'harmonie, que les mots
ne veulent plus rien dire"*

Au-delà

Au-delà des océans
Des cœurs tempête
Au-delà de la Terre
Des couleurs inimaginables
Des hautes montagnes
De ce monde
Des galaxies, des univers
Au-delà d'autres dimensions
Au-delà de l'inconnu, du connu,
Du reconnu
Au-delà de tout ce qui existe
De l'infini de Dieu,
Des frères, enfants ou pères
Au-delà des rêves faits ou à faire
Au-delà des lumières,
Des jours et des nuits
Au-delà des continents,
  des frontières
Jamais franchies

Au-delà des horizons des idées
  magiciennes
Au-delà des certitudes,
Des incertitudes vaincues
Il y a toi
L'Amour.

*"La poésie n'est pas
que technique,
elle est sortilège,
symphonie du verbe,
miroir de l'âme de l'autre"*

34

J'ai envie de pardonner à tous les méchants et d'aimer encore plus.

A Micheline,
mon amour infini

Mon âme est née en toi
La tienne ressuscite
   par la mienne
La candeur de ton enfance
Dans mes yeux ciel,
Telle une flamme sacrée danse
Eclairant le seul chemin de vie !
Faisant de notre lien,
Le sublime moment éternel
Où les anges du ciel
Gagnent leurs ailes,
Bénissant une union sacrée
Où souvent l'autre
Par l'un fut sauvé.
Je crois en cet amour
Pour que ton esprit grandisse
Et fasse grandir le mien
Oeuvrant à nos rêves,
La vérité vivante,

De la sérénité
Peuplés de ceux que l'on aime
Du mot amour pour autrui
Ainsi notre mission d'espoir
Sera accomplie,
Pour notre émerveillement
Et celui des autres
Ma chérie.

*"Il faut qu'un jour le
monde vive d'Amour car
il est la respiration"*

37

Le ruisseau de vie

Soyez toujours prêts à pardonner et à sourire, vous vous sentirez mieux dans votre corps, en vous-même, cela fera comme si à chaque pardon, naissait en vous la joie, le soleil, le printemps.

Déjà subir, et en plus s'en faire ? ah ! non ! C'est trop bête de toute manière, il est scientifiquement prouvé que la bonne humeur crée à l'intérieur du corps une chimie compensatrice qui annule les attaques microbiennes et assiste ainsi les anticorps, pour lutter contre la maladie, la fatigue ou les difficultés. Il y a tant de cas qui le prouvent qu'il serait impossible de les énumérer tous !

Des centaines d'ouvrages parus en parlent, en témoignent. Un sourire de votre part peut changer le fatigué, et même le sauver, comme plus solide ou sensé l'être.

Soyez souriant ! Vous participerez à la guérison du monde !

Ne dites pas, je ne veux pas. Dites, je ne sais pas encore, mais je vais m'entraîner !

Et vous serez surpris du résultat.

Un sourire en vous, c'est le soleil en vous et à l'extérieur, c'est de la vitamine pour les autres, et par là même, la saveur de l'existence !

Si dans un tunnel brille une petite lumière, ce n'est déjà plus la nuit, et la plus simple des choses est toujours possible, une petite espérance peut être la clé d'un grand résultat.

Tout se tient, tout se rejoint
Rien ne disparaît vraiment
Si tout se transforme
Notre esprit aussi
Croire, c'est essayer
Essayer, c'est déjà vivre.

Le massacre des Innocents

Au loin les yeux se rougissent
Du sang des innocents
Aux cris qui percent le cœur,
Auschwitz, Algérie, Indochine,
Sahel, Somalie, Afrique Noire,
11 septembre,
La liste n'est donc jamais finie
Des holocaustes insoutenables ?
Déguisé par des promesses
   innommables
L'homme encore une fois
   aujourd'hui
Préfère le silence
Au brouillard de la nuit.
Sans courage, il sacrifie
L'espoir de ses frères humains
Pour ne pas défier les loups
Cachant sa lâcheté
Calculant le coût
Voulant gagner la guerre
   par l'éloquence
Il laisse mourir femmes et
   enfants dans l'ignorance.

Avant qu'il ne soit trop tard,
N'y aurait-il pas
   un chant d'espoir ?
Partisans de la liberté
Où êtes-vous artisans
   de la vérité
Autre que celle
   de la rentabilité ?
On meurt aujourd'hui
   pour l'argent
Plus que pour sauver
   les pauvres gens.

*"Il faut une fin
à la violence afin
que naisse enfin
l'Amour"*

*"La haine décuple les forces,
l'Amour les centuple"*

J'ai besoin de toi

J'ai besoin de toi
Comme le fleuve
A besoin de la rivière
De tes caresses
Comme le champ
A besoin du vent
De tes baisers
Comme les nuits d'été
Ont besoin de l'orage
De ton corps
Comme le feu
A besoin du volcan
De ton parfum
Comme l'abeille
A besoin de la fleur sauvage
Du son de ta voix
Comme le violon
A besoin de l'archet
De tes yeux
Comme les larmes
Ont besoin de joie

J'ai besoin de toi
Comme l'éternité
A besoin de vie
Comme l'obscurité
A besoin de lumière
Comme le tremblement de tout
    mon être
De cet amour
Qui a pu naître
Entre âme et matière
Comme tous les ouragans
De l'espace et de la Terre
Qui n'ont pu être vaincus
Que par toi
Mon Amour, mon Amour
J'ai besoin de toi.

"Sans émerveillement, le monde
n'est qu'à moitié vivant"

L'affiche du film de Grégoire Brainin - Musée Peynet à Brassac-les-Mines en Auvergne

Le seul film avec des acteurs d'après "Les Amoureux" de Peynet - 1962
Réalisé et interprété par l'Auteur et sa Muse

"Faire une chose positive".
La souffrance du monde ne sera vaincue
que par la prise de position de lutte
et non d'abandon.

Mes chers inconnus

Vous que je ne connais pas
Je ne voudrais pas
Vous voir souffrir
J'ai peine à vos larmes
A vos blessures, à vos soupirs
J'aimerais tellement,
Mes chers inconnus
Vous savoir heureux
Afin que tout ce monde
Soit, grâce à vous
Un champ de bleuets
Dans vos yeux.

*"C'est aussi beau de faire
d'un rêve une réalité,
que d'une réalité un rêve !"*

Croire c'est être

Croyez en Dieu
Ou croyez en les autres
Ou en vous-même
Sinon aimez le
Soleil sur le visage
Le vent dans vos
Cheveux, les enfants
L'oiseau qui traverse
Le ciel, le chien, l'ami, l'inconnu
Ou encore la joie
D'avoir des gens autour de soi
Ou un cœur pour
Comprendre, aimer,
Courir avec vos
Jambes ou votre esprit
Vivez
Avec tout ou rien
Tout cela revient au même
Et permet d'être pour
Atteindre ou simplement
Exister.

*"Si tu doutes toujours des autres,
tu douteras de toi-même"*

Le poète, la rose et le moineau

Il était un naïf et tendre poète,
Qui vivait là, dans une chambrette,
Là-haut, tout près des étoiles.
Sans un sou, dans la nuit il allait.
Cheveux au vent, le ventre creux,
Et le cœur plein de mille rêves,
Jusqu'au petit matin,
Matin blême des cafés crème.
A la sortie du Moulin de la Galette,
Il n'avait rien dans la tête.
Il parla d'amour à une jolie fille,
Belle comme le jour.
Son seul jour de bonheur,
Peut-être le seul de sa vie.
Elle était danseuse
    au Moulin-Rouge.
Et son cœur tournait aussi vite,
Que les ailes du moulin.
Elle lui dit :
Si tu veux danser avec moi une nuit,
Apporte-moi une rose rouge,
    couleur de sang,
Et je danserai avec toi toute la nuit.
Il accepta.
Sachant qu'il n'avait rien,
Pour acheter une rose,
Et encore moins une rose rouge,
Couleur de sang,
Il chercha sur les pavés gris
    de Paris.
Sur les marches du Sacré-Cœur
Espérant qu'une belle
    aurait peut-être jeté
Une rose de son corsage.
Mais à l'aube rien !

A part une rose blanche, fanée,
Sur les escaliers de Notre-Dame.
Il regarda la rose blanche,
    et le ciel.
Puis, il se mit à prier,
Oh ! Mon Dieu,
Faites un miracle pour un titi de Paris.
A ce moment, un moineau
    descendit du ciel,
Et se posa sur sa main.
Il perça son cœur
    sur une épine de la rose,
Et la rose blanche devint rouge.
Cela sait mourir d'amour,
Un moineau de Paris.
Il offrit la rose, et toute la nuit,
Il dansa avec elle.
Tout Paris tournait dans sa tête.
Les petites lampes
    de la place du Tertre,
Telles de petits vers luisants,
Dansaient la farandole du bonheur,
Dans ses yeux et dans son cœur.
Il n'y avait plus qu'un manège,
Fait de Notre-Dame,
    de l'île Saint-Louis,
De Montmartre, de Paris,
Qui tournait et tournait,
Toute la nuit dans sa tête.
Mais, au petit matin,
Le poète se trouva seul.
La jolie danseuse était partie.
Et il restait là, seul.
Terriblement seul.
Avec le souvenir... d'une rose.
Et le regret... d'un petit moineau
    de Paris.

Au-delà des fautes, il y a l'espoir et pour que vos petits-enfants puissent vous dire un jour merci ; je vous dédie ce poème.

S.O.S. Vie

L'on ne peut sauver la planète
Que par le sacrifice.
Le pont des soupirs
Est mort à Venise
On a dépassé la marée
Déborde le calice
Des réflexions
Sans réponse à la question
A force de vivre
   en première classe
Dans le tunnel à la grimace
L'on ne voit pas l'express
Qui fonce vers la détresse.
Les enfants meurent
Avant d'être nés
Et ceux qui passent
La frontière vie
Respirent l'air de l'oubli.
Au secours, au secours,
Le monde a besoin d'amour
Il suffirait - Nous - insensés

De dire Assez ! Assez !
Des plaisirs inutiles
Qui sacrifient les prairies
Les villes
De rendre aux ruisseaux
Leur pureté
Aux sources, leur vérité
Ne faisant pas de l'industrie
Le commerce où vendeurs
Et croque-morts vivent
Sans remords.
Encore un petit effort
Car bientôt braves gens
A force de ne rien voir
Disparaîtra l'espoir.
Supprimer le mal aux racines
Dans l'esprit des puissants
Où les maîtres de l'argent
N'auront plus un seul client.

Maman Lumière

Ton beau visage
Rempli de lumière
Si jeune et si joli
Qu'aujourd'hui ta beauté
Est si présente
Dans tes yeux remplis de clarté
Ton sourire jeunesse et éternité
D'émotions impossibles
   à contenir
Tu es le présent et le souvenir
Tu es l'infini et l'avenir
De cette tendresse
Qui est toujours remplie
   de jeunesse
De ce courage, de cet amour
Qui fait de toi une princesse.

Mère

Si je n'avais que toi
Sur cette terre,
Je serais riche
Car ton amour
Fut la semence de ma vie
Tu m'as porté tant d'hivers,
Que c'est grâce à toi,
Si aujourd'hui
Le soleil brille,
J'ai connu tant de tempêtes,
Où quand j'étais petit
Tu étais ma seule fête,
Comme tu l'es aujourd'hui.

*"Il faut être heureux de moins
que ce que l'on possède pour
s'émerveiller de ce que l'on a"*

*"Comment peut-on amoindrir
la valeur de la femme dans
quelque domaine que ce soit et
où que ce soit alors qu'elle est la
donneuse de vie ?"*

Le secret du bonheur

Tel le navire à quai en quête
   d'aventures
Etre heureux de moins que ce que
   l'on possède
Pour s'émerveiller de ce que l'on a !
Vivre la douceur dans la force,
   le courage,
Dans la plénitude s'enthousiasmer
   comme un enfant
Sans le doute, sans la certitude,
En gardant la patience du temps.
Apaiser la tempête par le pardon
Enlevant le poids de son épaule
Ainsi que dans ton propre sein,
Recevoir ainsi la paix en héritage
Faire de ta vie une joie en partage
Te donnant toutes les raisons
   de lutter,
Panser tes blessures en soignant
   celles des autres,
Savoir rire avant et après
   avoir pleuré,
Eviter de tes pas vers la réussite
De faire souffrir autrui
Voir le plus petit,
   comme le plus grand
Avec tes yeux d'enfant
Considère le rêve comme
   une réalité joignable

Dont le chemin compte plus
   que le but
S'attarder oubliant les valeurs
   du temps
Pour entendre le chant d'un oiseau,
Le rire d'un enfant,
   la plainte d'un ami,
Les confidences de l'inconnu
Pour repartir à nouveau
   vers l'imprévu
Vivre comme si tu devais vivre
   mille ans
Tout en percevant la valeur
   de chaque instant
Ne pas chercher, jusqu'à abandon
   de toi, la sécurité
Garder le goût de l'aventure
   et la saveur de lutter
Et lorsque la fatigue
   te baisse l'échine,
Se reposer un brin et voler
   jusqu'en Chine
Considérant que les gouttes d'eau
   font l'océan
Tu auras ainsi d'un petit caillou
Sur le chemin du temps
Fait faire à l'humanité
   un pas de géant !

Nos baisers auront le goût de miel
Les cerisiers seront éternels
Quand le jour viendra
Partout sera la liberté,
La justice, la charité
Quand le jour viendra.

When daylight comes

One morning poets will be born
Gentle dreams will reflourish
When daylight comes,
Love affairs will be pureness
Children will have the right
   to dream
When daylight comes,
We will search serenity
Tenderness, Truth
When daylight comes,
Our kisses will taste of honey
Cherry trees will be eternal
When daylight comes,
Everywhere will be liberty
Justice, charity
When daylight comes.

Quand le jour viendra

Un matin des poètes naîtront
Des songes doux refleuriront
Quand le jour viendra,
Les amours seront pureté,
Les enfants auront droit de rêver
Quand le jour viendra
Nous chercherons la sérénité,
La tendresse, la vérité
Quand le jour viendra

Poème dédié à la famille R. Jacquard
pour leur esprit de sacrifice et d'amour

1944 - June 1944
To all those who came

To all those who came,
Canadians, Americans,
English, Australians,
French of London,
Resistants of France
   and elsewhere,
Nobles of Sacrifices
From Africa and Europe
Knights of faith and truth,
I revere them all
   with all my heart,
I bend in respect
With all my love
To revere them.
Never will I forget them,
I will thank them
All my life and beyond,
Until my last breath
   and beyond,
To have given us
Life and liberty
At the cost of theirs.

1944 - Juin 1994
A tous ceux qui sont venus

Ils sont venus,
Canadiens, Américains,
Anglais, Australiens,
Français de Londres,
Résistants de France
Et d'ailleurs,
Nobles du sacrifice,
D'Afrique et d'Europe,
Chevaliers de foi et de vérité,
Je les vénère tous
De toute mon âme,
Je courbe mon échine
Avec tout mon amour
Pour les honorer.
Jamais je ne les oublierai,
Je les remercierai toute
Ma vie et au-delà,
Jusqu'à mon dernier
Souffle et après
De nous avoir offert
Vie et Liberté
Au prix de la leur.

"Le pauvre est riche
s'il a l'Amour et le riche est
pauvre s'il ne l'a pas"

"Combien de gens se sont sacrifiés
pour que le monde soit meilleur.
Ne méritent-ils pas que vous soyez heureux
au moins par respect à leurs sacrifices"

Honfleur (NY)

Les lumières des nuits d'été
De Honfleur
Sur les vieilles demeures
Rangées dans les couloirs du temps
Le long du bassin
Où elles se reflètent
Aux mille clartés des fenêtres
Semblent danser
    avec les voiles au vent
Qui claquent dans le port,
Tels bravos aux multiples
    flamboiements
Des heures tardives, sous le soleil
Qui s'endort
Vous êtes les feux ardents
    aux lucarnes
Fêtes des cœurs atlantiques,
Vous êtes dans l'espace de cet instant
Semblable à New York, Montréal,
Honfleur tu es la ville
Qui allume le bal
Aux mille bouquets
    de feux d'artifices,
De jouvence d'un autre temps
Jusqu'au rouge sommeil
Des horizons crépuscules.

Hiver 2001/2002
Québec Canada,
Pays d'Amour

Les lumières du fanal
Eclairent mal
Les pavés ronds des quais du bal
La neige froide crisse sous mes pas
Dans les chemins du chenal
Tandis que la chaleur,
Lumière des aurores boréales
Dansent dans les yeux de ma belle
Sur le pont naval
Du vieux Montréal.

"Les poètes ne sont que des récipiendaires et les miroirs des autres. Ils donnent selon ce qu'ils ont reçu et font vivre par l'émotion des autres, leurs œuvres"

La prière à la mer

Comme des cathédrales
Aux pointes dressées
Vers le ciel
Les hautes cimes des mâts
Balayées par les vents
Se penchent vers la mer
Baisant la vague
Dans une arabesque
D'oiseau blanc.
Elles repartent
Tout droit devant
Poussées par un souffle nouveau
Vers un autre voyage.
Au creux de ses mains
Qui rompent l'écume
Porteuses de l'étendard
Elles continuent leurs prières
Joignant leurs phalanges de bois
Lancées en avant pour rejoindre
Le ciel et la mer.

"Nous ne pouvons agir sur le monde que lors de notre présence sur terre. Agissons sans attendre pour rendre le monde meilleur ne serait-ce qu'autour de nous"

Liberty

To you, immolators of all ages
Of the frail Liberty,
I address this plea
As an ocean bottle at the four winds
Do not persecute the wise,
Do not sell Liberty anymore
Your power has only support
In puberty.
The soul of man is frail,
If you destroy it
You are left with nothingness
Not even dignity.
You set up barbed wires
To better emprison man.
Don't you know the Spirit
Goes through;
Each time you kill one
A thousand more follow.
Liberty is alive!
Neither frontiers nor time
Can really chain it,
Scuffing at grills
It is like the sea
It goes through!

Le Jour et la Nuit

Certains saints n'influencent
Que la richesse de l'Amour
L'Abbé Pierre, Père Foucauld,
Sainte Thérèse, Mère Teresa
Sœur Emmanuelle, Rousseau
J'ai vécu mon enfance et ma jeunesse
Dans la souffrance et l'atrocité
De mon pardon "j'ai sauvé de l'enfer
Ou de la mémoire"
Ceux qui me persécutaient.
Je ne suis pas devenu un saint
Mais je crois avoir fait moins de mal
Que de bien dans mon destin
Cela aura suffi à la paix de mon âme
Ou de mon esprit.
Cela met plus de lumière
Que de nuit dans ma vie.
Certains sont devenus mes amis
Et ont pleuré sur mon épaule
Transcendant ces paroles
Laissant à l'Amour le soin
D'engendrer l'infini de nos destins.

"La lumière brille dans l'obscurité, il faut tant et tant de temps pour la trouver sauf si elle vient elle-même vous chercher"

"Devant les tempêtes de ce temps, seule la lumière de la foi en Dieu ou en l'homme pourra aider les vivants à protéger le futur"

Il y a des jours

Il y a des jours où je voudrais sécher
Les larmes d'enfants
   à l'âme violée, tyrannisée
Dérober leurs cauchemars
Punir les alchimistes tyrans
Pour les éparpiller aux tempêtes
De mes colères et de mes rares
   pardons aux repentis
Arracher au nom de l'Amour
De leurs poitrines
Leurs inavouables désirs.
Il y a des jours
Où je voudrais être
De la race Noire
Vivre de leur espoir
Pour vaincre la haine
Ce feu venu des volcans éteints,
Qui sur les pentes
De l'ignorance déverse
De la folle intolérance
La lave entraînant dans la même
Chute la victime et le bourreau
Il y a des jours
Où je voudrais être en même temps
Juif, Palestinien
Français et Prussien
Russe et Américain
Ou simple citoyen
Monnayé comme bétail
Sacrifié aux besoins
Superflus des serpents monétaires
Des terribles pollutions
De notre Terre !

La vie aurait-elle une première classe ?
Gens de tous bords, attention !
Rappelez-vous Titanic
Malgré son luxe il a coulé à pic
Au nom de Jésus, Bouddha,
Moïse ou Allah
   et de l'homme simplement
Mousse ou capitaine
De toutes les larmes et des peines
Que j'aurai versées
Soyez celui qui sauve
Et vous serez sauvé !

Le silence

Pire que la calomnie
Presque pire
Que le mensonge
Il n'approuve pas,
Mais il se tait.
Il ne participe pas,
Mais les yeux à peine clos,
De témoin, il devient complice.
Il n'est pas le crime,
Ni la justice,
Il n'est rien,
Mais accepte tout.
Rien ne l'accuse,
Rien ne l'excuse,
Il n'existe pas
Mais reste debout
Quand l'ignominie
Emporte le monde,
Lui est vivant
Sur sa tombe.

*"Je ne veux
ni choquer, ni blesser.
Je veux révéler
de quelle couleur
est Dieu ?"*

Ce poème est dédié aux courageux journalistes qui risquent leur vie
pour dénoncer les injustices de ce monde.

Les Halles

Vous n'êtes plus mes années folles
De la rue Rambuteau.
Où êtes-vous mes lucioles,
Mes petits bistrots ?
Mes belles ombres des belles
De nuit de Pierre Lescot ?
Mon vieux clochard, las et fauché,
Vers quel cimetière on t'a chassé ?
Chiffonniers de mes ruelles,
A l'ombre de la tour de Nesle,
Vous n'irez plus fouiller
   les souvenirs
De nos poubelles.
Vous êtes partis à jamais.
Débardeurs de nos provinces,
Dont les cageots sentaient
Si bon la France,
L'on n'entendra plus mêler,
A l'appel des filles de Saint-Denis,
Le doux vacarme de la nuit.
La soupe à l'oignon,
Brûlant nos entrailles,
A disparu à jamais,
   pour les canailles.
L'on ne verra plus
   l'ombre de Ronsard
Se profiler au long de nos trottoirs,
Les halles ont disparu,
Le cœur du ventre ne bat plus !

"Avant de guérir les défauts des autres, il faut soigner les siens"

America, Canada

For a long time!
For a long time, America, Canada,
I waited to tell you
That I love you,
My childhood, broken,
My childhood, tears,
My childhood, frenzy
My childhood
Longed on the exchequer of Europe
For my father's gentle face,
   lost on this side of the Atlantic.
And they came from America
They came to give their blood
And not only their blood,
Their souls and their
   childhood dreams
Forget-me-not youths
Maple coloured
Came to put themselves
   to death on a far-off land
To free, Ô God, how I love you
In your presence, who is not there
   anymore to collect my tears,
   the dew
Forgive me for being
As are harvested fields
Which fade in winter
And revive in the spring.
In Normandie, Paris
   or in the South of France
America, Canada!
I have come to give you back all that
   I owe you
From this day on, I am also,
   all yours, all yours.
                With my heart,

Les connaissances

Réfléchissez un peu à quoi ressemblerait le
monde s'il était tout bleu ou tout vert. De cette
diversité vit la joie et l'enthousiasme : connaître
c'est être, l'ennui ne naît que de l'ignorance,
de plus, vouloir, c'est chercher dans l'infini,
regardez l'étrange preuve !

"L'atome est un univers entier".

Qu'y a-t-il de plus petit que l'atome ?

D'autre part, je pense qu'il faut croire ne rien
savoir, pour avoir la joie d'apprendre.

Un ignorant aura plus de joie à tout apprendre
à partir de A, que le savant qui sait déjà.

Un pays que l'on connaît est moins captivant
que celui qui reste à découvrir.

Toi qui crois ne rien savoir
C'est mensonge
Tu es unique dans l'univers
Physiologiquement
Tu es unique sur terre
Par rapport à tout
Tu es unique envers
La loi de la création
Par rapport à tes découvertes.

La différence

Personne n'a jamais défini
La même chose de la même manière
Et c'est la multitude et la différence
Qui font l'océan de la connaissance.
Si vous avez les yeux du cœur
Vos avez déjà tout pour voir
Et tout pour comprendre
Si vous avez la liberté
Vous pouvez la vivre
Si vous avez la joie
Donnez-la autour de vous
Pour les autres, pour vous
Et tout prendra de la valeur
La miche de pain ou le festin
Le palais ou le grenier
La beauté n'est pas toujours
   Grandeur
Mais l'Amour est Beauté et
   Grandeur.

A ceux que j'aime

J'ai bâti sur les plages
   de l'espérance
Dans chaque grain de sable
Des cristaux d'amour
Diamants bleus pour
Chacun de vos jours
Je vous aime tant !

"Pas une larme ne doit être perdue. Elle doit être la semence de la justice et de l'Amour"

Faibles ?

Non ! Il faut leur rappeler qu'ils sont forts, et que leur faiblesse est le mensonge d'un monde qui les domine par leur ignorance. A partir du moment où ils savent que tout est un *"destin directionnel"* et que ce qu'ils ignorent d'eux est fort. Et ce n'est que ce qu'ils comparent, qui est faible. C'est comme si l'homme se désespère de ne pas avoir d'ailes ou d'écailles, alors qu'il a bien des forces diverses.

Chacun a une route d'amour, de foi et d'enthousiasme à suivre. Ce n'est jamais la même. Pourquoi se vouloir aigle si l'on est moineau ? Ce que moineau fait, aigle ne le puis ! et ainsi de suite !

La touver, c'est la connaître, donc servir et gagner sa voie en servant les autres et soi-même.

Toi qui cherche

Si tu n'étends pas ton aile
   bruissement
Pour protéger le diamant vivant
Des tiens présents
Comment veux-tu changer
En champs de blé
Le reste du monde ?
Si tu sacrifies ceux qui
S'aiment de l'amour
De l'unité du proche
Pour voler tel l'aigle blessé
De tes idéaux
Flamboyants en oubliant
Ceux qui respirent !
De ta poitrine,
De quelle épée,
   de quelle bannière
De quel cœur égaré
Sauveras-tu les autres ?

Avant

Avant, il n'avait qu'eux
   en l'esprit
Son chemin qu'il cherchait
De ses doigts immaculés
De la main tendue
Vers l'espérance et la lumière
Rien ne pouvait le dévier
De cet amour qu'il cherchait
Aimant qui l'attire
Comme le feu, l'or, le diamant
Poussé par les vents de l'esprit
Enfin il serrait contre sa poitrine
Son essentiel, les siens.
Prenait âme
Vivant à l'infini
Ses yeux chercheurs d'azur
Vitrine de son histoire
Qui reflète ce chemin
De l'océan traversé
Qui devient vérité.

*"Un jour nous ne
serons tous qu'un"*

La télé-visions !

Elle devait être
Cette fenêtre ouverte sur l'univers !
Mais dans les longues soirées d'hiver
C'est un dépotoir de violences
De non-dit et d'ignorances
Sans goût
Nourrissant l'esprit des jeunes générations
De crimes de masochisme
Et de fausses passions
Remplaçant le génie de Prévert,
Des enfants du paradis
Par les messalines victimes
Elles-mêmes des marchands d'amour,
Non poursuivis
Asservissant l'enfance sans remords.
Ils s'enrichissent en leur vendant
Le goût de la mort
Aux heures d'écoute
On entend leurs niaiseries
Laissant la sagesse pour les heures de la nuit
Quand tous dorment les yeux fermés
Faisant dans leurs songes, leur propre télé.

*"Il y a de rares lumières
au service de la sagesse
et de l'esprit.
Par exemple :
Arte, Odyssée, France 3, etc."*

Pour
le poète
moineau,
en toute amitié
et en souvenir d'une
heureuse rencontre
Honfleur 25/9/95

Le poète

Un peu plus de passion
Dans ce monde de mensonges
Moins de compromis
Moins de veulerie
Plus encore de rêves
Et de songes…
Telle la goélette
Naviguant sur l'océan
Que Dieu lui-même a promis
Rejetant le semblant
Pour le vivre !
L'hypocrisie pour la vérité
Marginal et libre
Comme l'oiseau dans l'été !

Comme j'aurais voulu

Malgré avoir jusqu'à
   épuisement
Poursuivi de l'esprit la beauté
Comme j'aurais voulu être
   sans tache

Pour allumer la joie
De votre feu ardent mon Dieu
Comme j'ai toute ma vie malgré
   mes erreurs d'hier
Poursuivi la même tâche
Rendre à ceux que j'aime
Les jours heureux
Même dans l'adversité
Comme j'aurais voulu
Savoir la douceur paisible
Des chemins, des clartés
Sans les tentations, sans la peur
Sans trop de témérité
Sans faire le moindre mal
Même par mégarde,
   hélas, j'en ai fait
Mais par ton chemin
Ce petit ruisseau devient rivière
Et la luciole sera un jour clarté
Dans ton univers de vérité.

"Quand les gouttes d'eau
bougent, l'océan se remue"

Tu vois

Voilà tu vois
Comme s'enfuit le temps,
Tu es plus belle qu'avant,
Encore aujourd'hui,
Les cheveux neige n'ont rien changé
Tes yeux comprennent encore
    mieux les choses
Et ta douceur cet infini
Dans tes mains il y a plus de chaleur
Même les larmes sur l'oreiller
Te font maintenant frémir
Rappelle-toi
Des jours d'avant
Nous avons vaincu
Les tempêtes et les vents
Je t'ai relevée
Tu fis de même
Séchant les larmes
Cherchant la force
Dans nos joies
Pour eux, pour toi, pour moi
Dans l'immensité du passé
Et lorsque tu sais sourire
Et rire comme une enfant
Cela fait plus de bien qu'avant.
Tu vois mon amour
Comme tu as bien traversé le temps.

You see

Here, you see
How time runs away
You are more beautiful than before
Again today
Wrinkles have changed nothing
Your eyes understand even better
And your gentleness, that absolute
In your hands there is more warmth
Even tears on my wrinkles
Now make you quiver
And when you manage a smile
It does more good than before
You see, my love
How well you have gone
    through time.

"On peut avoir de la neige dans
les cheveux et le printemps
dans son cœur"

Quand le jour viendra

Un matin des poètes naîtront
Des songes doux refleuriront
Quand le jour viendra,
Les amours seront pureté,
Les enfants auront droit
  de rêver
Quand le jour viendra
Nous chercherons la sérénité,
La tendresse, la vérité
Quand le jour viendra
Nos baisers auront le goût
  de miel
Les cerisiers seront éternels
Quand le jour viendra
Partout sera la liberté,
La justice, la charité
Quand le jour viendra.

Pour que tu sois !

Je serais poussière
Pour que tu sois rose
Je serais ruisseau
Pour que tu sois jardin
Je serais soupir
Pour que tu sois vie
Je serais fleuve
Pour que tu sois océan
Et je serais le navire
Qui navigue à travers toi
Eternellement.

*"La plus grande éclipse
du siècle n'est pas celle du
11 août 99 mais celle de
l'amour caché par la haine,
la peur et le manque de pardon
dans le monde. Mais le soleil de
l'amour se lève déjà"*

Une fin de siècle de mauvais goût…!

Tandis que les enfants de Mozart
Jouent dans la rue de l'espoir,
Les héritiers de Musset, Hugo,
Vendent leurs œuvres, dans les bistrots
Les chansonniers de la poésie,
Tombent dans l'antre de l'oubli.
Alors que s'élèvent, oui ! les clameurs
Pour les œuvres sans valeur,
On encense la médiocrité,
La bêtise, la vulgarité.
Pensant qu'à la rentabilité,
Les mécènes et pygmalions,
Sont-ils remplacés par les nouveaux
Marchands d'illusions qui
Trahissent l'âme de l'artiste et
L'intelligence des gens,
Faisant et refaisant de l'art présent,
Le doll-art de notre temps.

"Le corps peut agir
sur l'âme, mais l'âme
peut agir sur le corps !"

Québec

Québec tu m'as pris
Dans tes bras
Quand j'avais faim
Quand j'avais froid
Malgré les souffles glacés
De tes infinies immensités
J'avais chaud dans mon âme
    et mon corps
Ce feu ardent brûle encore
Dans ma mémoire qui me parle
    souvent de toi
Le soir quand je m'endors
J'entends ton vent, vois
    tes aurores boréales
Et mes yeux deviennent
    les lumières du bal
Au son de l'amitié d'un violoneux
Qui joue rue Saint-Denis
Lorsque la fête efface La nuit.

If we started loving each other

If we started loving each other,
Loving until we lost our minds;
If we started loving each other,
Dead trees would bear life,
Dry lands would bear fruit,
If we started loving each other,
Loving until we lost our minds.

If we started loving each other,
Loving to forget our tears;
If we started loving each other,
Loving to forget hatred
As the children love each other
Opening our arms to anyone!
If we started loving each other,
The way we harvest fields;
If we started loving each other,
Dead today, living tomorrow
As the angels on the bows of ships
That we have had blessed at the start
If we started loving each other,
Loving until we lost our minds.
If we started loving each other,
Loving until we lost our minds;
If we started loving each other,
Loving without illusion,
Dead trees would bear life,
Dry lands would bear fruit,
If we started loving each other,
So that love reappears,
Love, love.

*"Si chaque goutte d'eau se dit
inutile, un jour l'océan
sera asséché !"*

Honfleur

Couleurs,
Cendres de soleil
Nuages aux tempes grises
Dont les routes exquises
Croisent Gernez, Kosmowski, Herbo,
Lucie Delarue-Mardrus, Beaudelaire, Hugo,
Satie, Allais de la rue Haute
Aux basses altitudes
Nous emmène vers la certitude
De l'infini voyage
De Champlain
Aux corsaires égarés
Larmes de pluies
Honfleur, je vois dans ton passé
Le bleu de mon âme.

Le Chien et le Clochard

Il n'avait pas d'ami
Parce que, parce que
Il n'avait pas de chaussures
Vous me direz aujourd'hui,
Tout le monde peut se payer
  des chaussures
Ou presque
Mais, à cette époque-là
Il fallait tant de jours et de jours
Pour s'acheter une paire
  de godillots
Qu'il préférait boire son petit
  coup de rouge au bistrot
Et fumer une cigarette sur le coin
  de son bec
Ou manger une bonne soupe
  à l'oignon
Dans le vieux quartier des Halles
Il avait un copain
Une sorte de...
C'était un chien
Un chien,
C'était un chien noir et blanc
Qui était plus
Plus noir que blanc
Quand on le caressait
C'était tout le Bon Dieu
Qui venait dans le creux
  de votre main

Pour vous dire
Je t'aime
Savez-vous
Que les chiens disent mieux
Je t'aime
Que nous autres
Parce que nous
Nous l'avons dit tellement de fois
Et si mal
Qu'on n'ose plus le dire vraiment
Alors qu'il serait si facile de le dire
A lui, à elle
Si facile
De laisser parler
Son cœur,
Son cœur, et son cœur,
  et son cœur
Et son cœur
Eh ! bien, ils se promenaient
  tous les deux
Comme ça sur les boulevards
Ils se promenaient dans
  les avenues
D'un Paris désert la nuit
Et comme les étoiles de Paris
  ne sont pas un toit
Eh ! bien, mon pauvre clodo
Sans faire d'histoires

Pardonnez-moi
Ce n'est pas triste
Il était vieux
Ça arrive bien de partir de chez le
Bon Dieu
Une fois ou l'autre
Il est mort de froid !
Il pleut à travers les étoiles
Pardi !
Et alors, on lui a payé
   un corbillard
Je m'en souviens
Oh ! j'étais petit
Mais je le vois bien
Un de ces vieux corbillards
Que l'on offre à quelqu'un
   qui part
Et par qui l'on voudrait se faire
Pardonner
C'est pas qu'on a des remords
C'est idiot, mais
Mais, on se sent pas bien
On se sent pas bien là-dedans !
Et on a envie de dire
Pardon
Et on le dit pas toujours
Alors, on lui a payé un corbillard
Et dans ce vieux corbillard
Qui remontait la rue
   Saint-Vincent

Parce que, à cette époque-là
Il y avait de la place
Dans le fameux cimetière
   des Saules
Et, y'avait personne
Pas d'amis, pas de copains
Y'avait son chien
Qui lui disait
Je ne veux pas te quitter
Je suis bien
Avec toi
Je suis bien
Avec toi
Je suis bien
Je te jure
Et je t'aime
Alors, reste, reste
T'en va pas
Dis
T'en vas pas
Et tu sais
On aura des moments formidables
Tous les deux
Toi et moi
Rappelle-toi
Je t'ai tenu chaud des fois
Et puis, et puis
Je sais encore courir
Je sais encore jouer

Et même t'enrager, encore un peu,
Allez viens,
Viens, viens,
Ah Bah ! Ça alors
Il faut être chien
Regarde
Le flic du coin qui a enlevé
    son galurin
Et pourtant
Il t'avait collé six jours
L'autre fois
Puis, a fait un signe de croix
Ah ! La femme du boucher
Tu sais, celle
Qui t'avait fait coffrer
Parce que tu avais chapardé un os
Pour moi
Ah ! Qu'est-ce qu'elle t'avait
    engueulé
Mon gars
Cette fois, cette fois
Elle fit un signe de croix
Devant toi
Est-ce que tu serais le Bon Dieu
Par hasard
Regarde, et regarde-les là-haut
Au garde-à-vous devant toi
Pourquoi, ils enlèvent leurs
    galurins
Pourquoi, qu'ils se signent
    devant toi

Ça y est
J'ai compris
Ils vont enfin
T'aimer
Ils ont compris
Ce que tu étais pour moi
Peut-être bien
Tu le serais un petit peu pour eux
Leur chaleur, leur pain, leur soleil
Leur Bon Dieu
Dis, dis
On va être contents
On va pouvoir maintenant
S'en payer de bonnes tranches
Dis, dis, dis, dis
Dis, regarde
Ah ! Oui...
... J'suis-t'y bête
J'oubliais que tu étais crevé
Alors quoi
Ici bas
Il faut mourir
Pour être respecté !